ENJOY EVERYTHING.

つづく

2011年11月26日　初版発行

著者＝あずまきよひこ

発行者＝高野潔

発行所＝株式会社アスキー・メディアワークス
〒102-8584 東京都千代田区富士見1-8-19
☎03-5216-8398（編集）

発売元＝株式会社角川グループパブリッシング
〒102-8177 東京都千代田区富士見2-13-3
☎03-3238-8605（営業）

印刷・製本＝図書印刷株式会社

初出＝月刊電撃大王　2011年1・4・5・7・8・10・12月号（アスキー・メディアワークス刊）
Printed in Japan　ISBN978-4-04-886097-0 C9979
©KIYOHIKO AZUMA/YOTUBA SUTAZIO

作画スタッフ＝内海丈寛／前林美鈴／菓浜洋子
企画・制作＝よつばスタジオ 里見英樹

ガチャン

おじゃま
しまーす

よつばと

第76話

キィー

がちゃ

よつばと！

よつばと

ともだち

第75話

よつばと！

146

145

143

あかちゃんだ

VISTA QUEST
VQ1015R2

WELCOME
TO THE
VQ WORLD

Mini Digital C

VQ1015R2

それ
カメラかも‼

！

え——？

とーちゃんのカメラは
もうあるのに
どうしてもうひとつ
あるのかなー？

よつばと カメラ

第74話

よつばと！

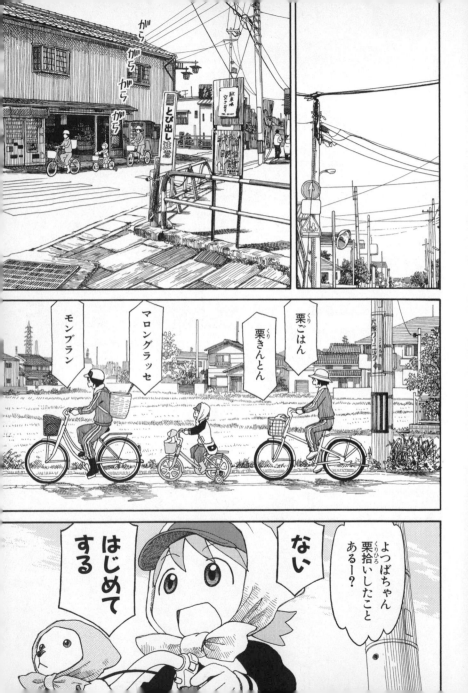

よつばと

くりひろい

第73話

よつばと！

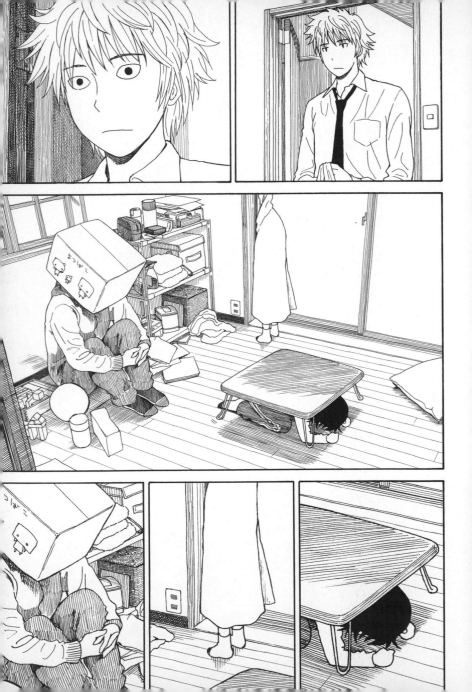

よつばと

しゃぼんだま

第72話

よつばと！

Open up with your Smile

よつばと
ピザ

第71話

よつばと！

ずずっ
ずずー

あー
お父さん来たの

どうも
スミマセン！

ご迷惑を
おかけしまして――

あ！
とーちゃん
きた！

よつばと

うどん

！

第70話

もくじ

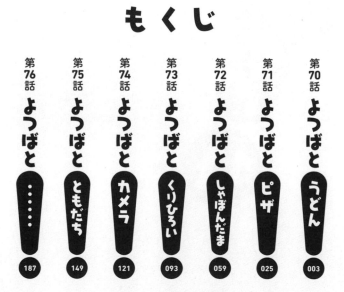
YOTSUBA&!
KIYOHIKO AZUMA